MIEUX COMPRENDRE

LE DIVORCE ET LA SÉPARATION

PETE SANDERS et STEVE MYERS
Traduction de CHANTAL GRÉGOIRE-NAGANT

GAMMA • ÉDITIONS ÉCOLE ACTIVE

© Éditions Gamma
60120 Bonneuil-les-Eaux
pour l'édition en langue française
Dépôt légal : septembre 1998
Bibliothèque nationale
ISBN 2-7130-1847-1

© Aladdin Books Ltd 1997
Designed and produced by
Aladdin Books Ltd
28 Percy Street
London W1P 0LD

Titre original : *Divorce and Separation*

Conception graphique :
David West's Children's Books

Adaptation française :
Chantal Grégoire-Nagant

Corrections :
Anne-Christine Lehmann

Mise en Pages :
Liz White

Exclusivité au Canada :
Éditions École Active
2244, rue de Rouen
Montréal (Québec) H2K 1L5
Dépôts légaux : 3e trimestre 1998
Bibliothèque nationale de Québec,
Bibliothèque nationale du Canada,
ISBN 2-89069-582-4

Loi n° 49-956 du 16 juillet 1949
sur les publications destinées à la
jeunesse

Imprimé en Belgique
Tous droits réservés

Pete Sanders est chargé de cours en
hygiène de vie à l'université de Londres
Nord. Il a été directeur d'école pendant
dix ans et écrit de nombreux ouvrages
d'intérêt social destinés aux enfants.

Steve Myers est auteur indépendant. Il a
participé à l'élaboration d'autres
ouvrages de cette collection et a travaillé
à la réalisation de plusieurs projets
éducatifs.

SOMMAIRE

COMMENT UTILISER CE LIVRE ?
Les livres de cette collection visent à aider les jeunes à mieux comprendre les problèmes qu'ils rencontrent.

Chaque ouvrage peut être abordé par l'enfant seul ou accompagné d'un parent, d'un professeur ou d'un éducateur pour approfondir certaines idées.

Les problèmes posés dans les B.D. invitent à la discussion et sont commentés les pages suivantes.

Le dernier chapitre « Et vous, que pouvez-vous faire ? » propose quelques conseils pratiques et une liste d'adresses utiles.

INTRODUCTION

AUJOURD'HUI, LES PERSONNES QUI VIVENT MAL LEUR RELATION AMOUREUSE CHOISISSENT DE SE SÉPARER OU DE DIVORCER.

Par conséquent, un nombre croissant de jeunes peuvent, un jour, être confrontés à la rupture de leurs parents ou d'autres proches. Ce livre vous aidera à mieux comprendre le thème proposé. Il examine les raisons pour lesquelles une relation prend fin et expose les changements qu'une telle situation peut apporter dans la vie familiale. Chaque chapitre étudie un aspect du sujet, puis l'illustre au moyen d'une petite histoire à épisodes. Les personnages de cette histoire vivent des situations que vous aussi pourriez connaître. Après chaque épisode, certains problèmes sont soulevés pour permettre d'élargir la discussion.

Arrivé à la fin de cet ouvrage, vous en saurez plus sur la manière dont le divorce et la séparation peuvent marquer les familles touchées par une telle épreuve.

LES PARENTS D'UN AMI SE SONT SÉPARÉS. PUIS ILS SE SONT REMIS ENSEMBLE.

MA MÈRE DIT QU'ON NE DEVRAIT PAS DIVORCER QUAND ON A DES ENFANTS.

MES PARENTS NE POURRAIENT PAS DIVORCER. NOTRE RELIGION L'INTERDIT.

LES RELATIONS HUMAINES

POUR BEAUCOUP, ELLES AMÉLIORENT CONSIDÉRABLEMENT LA QUALITÉ DE LA VIE ET PERMETTENT DE MIEUX APPRÉCIER LES AUTRES.

La plupart des adultes nouent, tôt ou tard, une relation intime et durable avec une autre personne.
Certains couples désirent officialiser leur engagement mutuel en se mariant, d'autres préfèrent vivre ensemble sans être mariés. Cela dépend des individus, de leurs comportements et de leurs croyances. Mais pour la majorité des gens, il est primordial d'apprendre à connaître l'autre avant de se lancer dans ce genre «d'association». La façon dont une relation s'établit entre deux personnes peut influencer son évolution. En précipitant les choses, vous allez au-devant de difficultés. Ne perdez pas de vue qu'avec le temps vos attitudes, vos valeurs et vos centres d'intérêts risquent de changer et de mettre vos rapports les plus intimes à rude épreuve. Même si votre liaison connaît des hauts et des bas, elle peut prendre fin sans que vous l'ayiez vraiment désiré.

Au cours de votre vie, vous entretenez des relations avec les autres. Certaines restent superficielles, alors que d'autres deviennent plus amicales. Au sein de votre famille, aussi, il existe différentes sortes de liens qui unissent ses membres. Avoir de bons rapports avec les autres peut améliorer votre sens du bien-être et du bonheur.

▽ Un jour, Laurent Duvivier invite son ami, Guillaume Lajaunie, à jouer au football dans le parc.

J'VOUDRAIS BIEN, MAIS J'ATTENDS LUCIE. JE L'EMMÈNE AU CINÉMA.

T'AS PLUS JAMAIS ENVIE DE JOUER. ÇA FAIT DES SEMAINES QUE TU SORS AVEC ELLE.

▽ Après le film, Guillaume propose à Lucie d'aller manger un hamburger.

C'EST GENTIL, MAIS J'AI PROMIS À MES PARENTS DE RENTRER TÔT. ET TOI, TU NE DOIS PAS RENTRER ?

OH ! JE NE SUIS PAS PRESSÉ. MES PARENTS N'ARRÊTENT PAS DE SE DISPUTER.

MES PARENTS AUSSI SE DISPUTENT ET ILS NE SONT MÊME PAS MARIÉS ! ILS SONT COMME ÇA ! JE SAIS QU'ILS S'AIMENT TOUJOURS.

J'AIMERAIS BIEN TE CROIRE.

▷ Guillaume raccompagne Lucie avant de rentrer chez lui.

▽ Guillaume explique que les parents de Lucie ne sont pas mariés.

▽ Toute la famille attend Guillaume. Sa sœur aînée, Pénélope, est arrivée avec son ami Nordine.

GUILLAUME, TU ARRIVES JUSTE À TEMPS ! NORDINE ET MOI AVONS DÉCIDÉ DE VIVRE ENSEMBLE.

SANS ÊTRE MARIÉS ?

LES TEMPS CHANGENT, MAMAN. JE SUIS SÛRE QU'ILS SE MARIERONT LORSQU'ILS SERONT PRÊTS.

C'EST VRAI ! ET, ILS VIVENT ENSEMBLE DEPUIS QUINZE ANS.

PÉNÉLOPE, TU ES BIEN TROP JEUNE POUR PRENDRE UNE TELLE DÉCISION. TU FONCES TÊTE BAISSÉE, COMME D'HABITUDE.

JE CROYAIS QUE TU ALLAIS ÊTRE CONTENT POUR NOUS. VOUS VOUS SÉPAREZ, MAIS NOUS AVONS DROIT AU BONHEUR !

QUOI ?

LAISSE-LES TRANQUILLES. N'EN FAIS PAS TOUTE UNE HISTOIRE.

NE VOUS DISPUTEZ PAS !

NON, C'EST PAS VRAI ! JE NE VEUX PAS !

△ Delphine, la jeune sœur de Guillaume, se précipite hors de la pièce en pleurant.

Guillaume est préoccupé par les querelles incessantes de ses parents. Même les meilleurs couples se disputent. Pour certains, c'est un moyen d'exprimer la manière dont ils ressentent une situation. Souvent, ils ne se rendent pas compte de l'impact que leurs différends peuvent avoir sur leur entourage. Mais dites-vous bien que ce n'est pas forcément parce qu'ils élèvent la voix qu'ils s'aiment moins.

Le mariage est l'expression officielle des sentiments qu'un homme et une femme éprouvent l'un pour l'autre.
Dans certaines cultures, ce sont les parents qui décident du mariage de leurs enfants. Généralement, les futurs époux ne font connaissance que peu de temps avant leur union. Et pourtant, ces mariages arrangés sont très heureux. Aujourd'hui, beaucoup de gens préfèrent vivre ensemble sans être mariés. Certains rejettent cette façon de vivre, *a fortiori* si le couple a des enfants. D'autres sont plus tolérants. Quoi qu'il en soit, cela ne change rien à l'engagement et à l'amour que deux personnes partagent avec leurs enfants.

Les rapports entre les personnes évoluent.
Il est difficile d'admettre que les relations se modifient. Ainsi, par exemple, l'arrivée d'un bébé entraîne inévitablement des changements au sein de votre famille. Ou encore, vos sentiments à l'égard d'une personne vont, petit à petit, se transformer en apprenant à mieux la connaître.

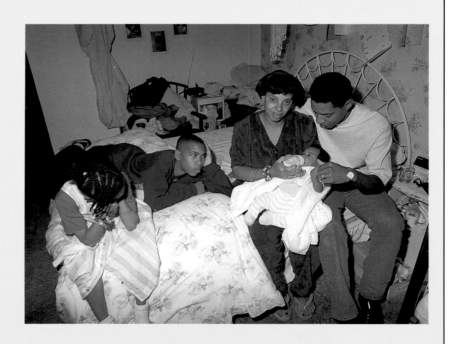

LE DIVORCE ET LA SÉPARATION

UN COUPLE MALHEUREUX PEUT DÉCIDER DE SE SÉPARER ET, S'IL EST MARIÉ, DE DIVORCER.

Le divorce met légalement fin au mariage. Même si les conjoints ne vivent plus sous le même toit, ils restent mariés aux yeux de la loi jusqu'au moment où le divorce est prononcé. La séparation peut aussi soulever certaines questions d'ordre juridique.

Certaines personnes croient que le divorce a une signification plus importante que la séparation, puisqu'il officialise la fin d'une relation. Mais, qu'il y ait mariage ou non, la rupture est généralement mal vécue au sein de la famille. Elle peut fortement affecter les enfants dont les sentiments sont trop rarement pris en considération. Quand un couple décide de se quitter, aucun des partenaires n'a désormais le droit d'intervenir dans la vie de l'autre. Quant à l'enfant, qui ne vit plus qu'avec un seul de ses parents, il continuera à être pris en charge à la fois par sa mère et par son père.

Lorsqu'une personne souhaite vivre en dehors de son foyer, toute la famille en souffre, y compris les adultes.

▷ Après le départ de Pénélope et de Nordine, Guillaume et sa mère discutent.

POURQUOI NE M'AS-TU RIEN DIT, PUISQUE TU EN AS PARLÉ À PÉNÉLOPE ?

C'EST VRAI, ON AURAIT DÛ TE LE DIRE. MAIS ON NE VOULAIT PAS VOUS FAIRE DU MAL.

ET POURTANT, VOUS NOUS EN AVEZ FAIT VOIR, VOUS NE PENSEZ PAS À NOUS.

TU ES INJUSTE, GUILLAUME. TU SAIS QUE TON PÈRE ET MOI T'AIMONS TRÈS FORT. C'EST PAS LA FIN DU MONDE. CELA NE CHANGERA RIEN DU TOUT.

▽ Après avoir parlé à Delphine, M. Lajaunie redescend au salon.

NE DIS PAS CELA, CHÉRIE. TU SAIS BIEN QUE CE N'EST PAS VRAI. CELA NE VA SÛREMENT PAS FACILITER LES CHOSES.

ELLE PLEURE TOUJOURS, BIEN QU'ELLE SOIT CALMÉE. JE L'AI MISE AU LIT, MAIS JE DOUTE QU'ELLE DORME TOUT DE SUITE.

▽ Guillaume feint la fatigue et monte dans la chambre de Delphine.

ALLEZ-VOUS DIVORCER ?

PEUT-ÊTRE. NOUS ALLONS D'ABORD NOUS SÉPARER POUR QUELQUE TEMPS.

JE NE COMPRENDS PAS. JE N'AIME PAS QUAND PAPA ET MAMAN SE DISPUTENT, MAIS JE VEUX QU'ILS RESTENT TOUS LES DEUX, ICI.

▽ Guillaume passe une très mauvaise nuit. Le lendemain, Laurent voit que ça ne va pas.

QU'EST-CE QUI SE PASSE ? TU AS ROMPU AVEC LA RAVISSANTE LUCIE ?

OUI, MOI AUSSI, DELPHINE. C'EST HORRIBLE. PLUS RIEN NE SERA PLUS JAMAIS COMME AVANT.

JE NE SUIS PAS D'HUMEUR À PLAISANTER.

▽ Guillaume a un sérieux problème. Finalement, il décide d'en parler à Laurent.

▽ Guillaume ne savait pas que le père de Laurent était, en fait, son beau-père.

J'AI VÉCU LA MÊME CHOSE QUAND J'ÉTAIS PETIT. À LA MAISON, L'AMBIANCE ÉTAIT DÉTESTABLE. ÇA S'EST ARRANGÉ QUAND MES PARENTS SE SONT SÉPARÉS.

CELA NE VA PAS S'ARRANGER S'ILS SE SÉPARENT.

ILS NE VONT PEUT-ÊTRE PAS DIVORCER. M'AN DIT QU'ILS VONT JUSTE SE SÉPARER.

TU N'ARRÊTES PAS DE TE PLAINDRE QU'ILS SE DISPUTENT SANS CESSE. MES PARENTS AUSSI SE QUERELLAIENT MAIS, AUJOURD'HUI, C'EST FINI. ILS SONT MÊME DEVENUS DES AMIS.

▽ Ce soir-là, Delphine discute avec sa grand-mère.

TU NE LES CONNAIS PAS. LA PLUPART N'ARRÊTENT PAS DE DIRE DU BIEN DE LEURS PARENTS.

C'ÉTAIT HORRIBLE À L'ÉCOLE, GRAND-MÈRE. J'AVAIS L'IMPRESSION QUE TOUT LE MONDE ME REGARDAIT. JE N'AI PARLÉ À PERSONNE.

TES AMIS SERAIENT PEUT-ÊTRE MOINS SURPRIS QUE TU LE CROIS.

Vous éprouvez un immense chagrin en apprenant que vos parents sont sur le point de se séparer.
Mais cela risque d'être pire, si on ne vous dit pas la vérité sur ce qui est en train de se passer ou si vous l'apprenez par hasard, comme Guillaume et Delphine. Les parents ne savent pas toujours comment faire part de leur décision à leurs enfants.

Même s'ils ne veulent plus former un couple, beaucoup de divorcés ou de séparés restent amis.
Lorsqu'un homme et une femme se rendent compte qu'ils ne s'aiment plus autant qu'au premier jour, ou qu'en restant ensemble ils font souffrir toute la famille, ils optent souvent pour la solution la plus raisonnable : la séparation.
Elle crée inévitablement un malaise dans le foyer, mais chacun s'accommodera d'autant plus facilement de cet état de choses que la rupture aura eu lieu sans trop de conflits.

Certains couples se séparent « à l'essai ».
Cela leur permet de voir plus clair dans leurs sentiments. Après ce temps de réflexion, ils peuvent décider de reprendre la vie commune ou de se séparer pour de bon, s'ils en ressentent le besoin. Beaucoup de jeunes sont désorientés par l'incertitude qui règne au cours de cette période.

QU'EST-CE QUI JUSTIFIE UNE RUPTURE ?

UNE RELATION PEUT PRENDRE FIN POUR DIVERSES RAISONS. BIEN QUE CHAQUE CAS SOIT PARTICULIER, LES CAUSES PEUVENT PRÉSENTER DES SIMILITUDES.

La décision de se séparer ou de divorcer peut être le résultat d'un comportement bien spécifique ou d'une accumulation de circonstances.
Certains couples suivent tout naturellement des chemins divergents parce que leurs intérêts changent. Tout le monde n'attend pas la même chose d'une relation, et il faut avoir vécu ensemble pendant un certain temps pour s'en rendre compte. Parfois, deux personnes s'engagent dans la vie commune en croyant pouvoir modifier les aspects indésirables de la personnalité de l'autre. La brutalité, physique ou verbale, est aussi à l'origine de ruptures. D'autres veulent avoir des rapports sexuels avec différents partenaires. Leur compagnon ou compagne se sent trahi(e) et devient jaloux(se). Toutes les situations décrites ici ne donnent pas nécessairement lieu à une séparation. Mais, sachez qu'une relation ne fonctionne que si vous pouvez parler ouvertement des difficultés que vous rencontrez.

Les adultes, comme les amis, se querellent. Souvent, ils trouvent une solution à leurs problèmes, mais il arrive qu'ils doivent modifier la nature de leurs rapports.

▽ Le week-end suivant, M. Lajaunie déménage.

▽ La situation n'a pas l'air de s'arranger entre les parents.

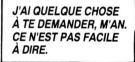

▽ Plus tard, Pénélope et Nordine rendent visite à la famille. Mme Lajaunie n'est pas encore rentrée.

▷ Le lendemain, Guillaume parle avec sa mère.

▽ Ils ne s'aperçoivent pas de la présence de Delphine dans la cuisine.

EST-CE QUE L'UN DE VOUS DEUX A RENCONTRÉ QUELQU'UN ?

NON, CHÉRI. IL NE S'AGIT PAS DE CELA.

PARFOIS ON SE SÉPARE PARCE QU'ON A RENCONTRÉ UNE AUTRE PERSONNE, MAIS CE N'EST PAS NOTRE CAS. TA GRAND-MÈRE A SANS DOUTE RAISON. ELLE A TOUJOURS PENSÉ QUE NOUS NOUS ÉTIONS MARIÉS TROP JEUNES.

▽ Ce soir-là, Guillaume s'approche de Delphine qui pleure dans le jardin.

NE SOIS PAS RIDICULE. QU'EST-CE QUI TE FAIT DIRE ÇA ?

C'EST DE MA FAUTE SI PAPA EST PARTI.

J'AI PRIS DE L'ARGENT DANS LA POCHE DE SON PARDESSUS SANS RIEN LUI DIRE. JE PAIE MA MAUVAISE ACTION, COMME DIT TOUJOURS GRAND-MÈRE.

JE T'AI ENTENDU DISCUTER AVEC MAMAN. ELLE A DIT QU'ILS NE VOULAIENT PAS SE SÉPARER. C'EST À CAUSE DE MOI.

▽ Quelques jours plus tard, Guillaume raconte à Lucie les propos de Delphine.

PARFOIS, JE ME DEMANDE SI NOUS NE SOMMES PAS UN PEU RESPONSABLES DE LA SITUATION. JE ME SOUVIENS DE TOUTES LEURS DISPUTES À CAUSE DE NOUS.

TU TE TROMPES !

TU N'AS RIEN À TE REPROCHER, GUILLAUME. TES PARENTS SONT PROBABLEMENT DE MON AVIS. ALLEZ, N'Y PENSE PLUS MAINTENANT. NOUS SOMMES AU CINÉMA POUR NOUS DÉTENDRE.

13

Delphine est persuadée qu'elle est pour quelque chose dans la séparation de ses parents.
Cette attitude, ou encore celle d'accuser un frère ou une sœur, est courante chez les enfants qui ne comprennent pas pourquoi leurs parents se séparent ou divorcent. N'oubliez jamais que si les adultes mettent fin à leur relation, ils continuent d'être vos parents. Vous n'êtes en aucun cas responsable de leur désaccord ou de leurs agissements.

Les motifs d'une rupture ne sont pas aussi simples que certains pourraient le croire.
Quand un couple se sépare, l'entourage a sa propre opinion sur cette décision. Mais, seuls ceux qui sont directement concernés par elle, en connaissent les raisons. Une relation nourrie de faux espoirs ou de malentendus a moins de chance de durer qu'une autre basée sur la confiance et le dialogue.

Grand-mère pense qu'aujourd'hui le divorce est une solution de facilité.
Autrefois, on n'obtenait le divorce que dans des circonstances tout à fait particulières. Et même si certains préfèrent cette issue à l'envie de continuer leur vie de couple, pour beaucoup, il reste la solution extrême. De nombreux ménages rencontrent des problèmes qu'ils arrivent, heureusement, à surmonter.

PRENDRE PARTI POUR UN PARENT

LORS D'UNE SÉPARATION, IL EST NORMAL QUE LES JEUNES SOIENT TIRAILLÉS ENTRE LEURS PARENTS.

Les enfants doivent, parfois, prendre parti pour un parent au détriment de l'autre, surtout, si la rupture se passe dans un climat de grande hostilité.

Certains enfants aiment mieux un parent que l'autre, ou font plus volontiers certaines choses avec leur mère et d'autres avec leur père. Vous sentir tout à coup obligé de choisir, est extrêmement déconcertant et cruel. Et cela peut créer des tensions supplémentaires si vos frères et sœurs ne parviennent pas à se mettre d'accord sur celui qu'ils veulent soutenir. Les adultes ont tendance à oublier que les enfants ont le droit d'aimer leurs deux parents sans avoir le sentiment de les trahir, surtout si d'autres membres de la famille s'empressent de donner leur avis et de condamner. Même s'il vous semble impossible de découvrir la vérité et de prendre parti, souvenez-vous que chacun comprend la situation à sa manière et que vous, aussi, avez le droit d'exprimer votre opinion.

Les jeunes sont souvent déchirés entre leurs parents. Mais, il est tout aussi pénible pour un parent d'admettre que son enfant marque une nette préférence pour l'autre.

▽ Les mois passent. Un jour, en rentrant, Delphine voit sa mère raccrocher violemment le téléphone.

▽ Delphine court dans sa chambre. Un peu plus tard, sa mère la rejoint.

> JE ME DEMANDE CE QUE J'AI BIEN PU LUI TROUVER, À TON PÈRE. HEUREUSEMENT, QUE VOUS NE LUI RESSEMBLEZ PAS !

> POURQUOI PARLES-TU COMME CELA DE PAPA ? C'EST AFFREUX !

> J'AIMERAIS HABITER AVEC PAPA.

> JE SAIS, LA SITUATION EST PÉNIBLE POUR VOUS DEUX, MAIS ELLE L'EST POUR MOI AUSSI. JE N'AURAIS PAS DÛ TE PARLER AINSI.

▽ Le week-end suivant, Mme Lajaunie organise une petite fête à l'occasion de l'anniversaire de Guillaume.

> MERCI, M'AN. C'EST EXACTEMENT CE QUE JE VOULAIS.

> MENTEUR ! TU VOULAIS LE MAILLOT DE TON ÉQUIPE DE FOOT.

> JE SAIS. JE TE L'ACHÈTERAI QUAND J'AURAIS LES MOYENS.

▽ Sa mère s'est éloignée. Guillaume se tourne vers Delphine.

> POURQUOI TU AS DIT ÇA ? ET POURQUOI TU ES SI AGRESSIVE AVEC MAMAN ?

> ELLE EST MÉCHANTE AVEC PAPA. ELLE SE FICHE PAS MAL DE NOTRE AVIS. PAPA ME MANQUE.

▽ M. Lajaunie arrive avec le cadeau de Guillaume. Il lui a acheté son maillot de foot.

> ELLE DIT QUE PAPA ESSAIE D'ACHETER NOTRE LOYAUTÉ. JE NE SAIS PLUS CE QU'IL FAUT CROIRE.

▽ Après le départ de son père, Guillaume danse avec Lucie. Il lui dit combien sa mère est malheureuse.

> MERCI, PAPA.

> ET POUR MOI, QU'EST CE QUE TU AS ACHETÉ, PAPA ?

> CE N'EST PAS TON ANNIVERSAIRE, MAIS JE CROIS AVOIR QUELQUE CHOSE POUR TOI.

Au cours de leur séparation, les parents peuvent expliquer les événements de manière fort différente.
Comprendre une situation au départ d'informations contradictoires constitue un véritable problème. Sans parler de la douleur que vous pouvez ressentir en entendant les autres dire du mal de quelqu'un que vous aimez. Surtout, ne changez pas vos sentiments envers votre mère ou votre père, simplement parce qu'ils ne s'aiment plus.

M. Lajaunie a acheté des cadeaux pour Guillaume et Delphine.
Un parent peut ressentir le besoin de faire plaisir à ses enfants pour leur montrer combien il les aime, compenser les désagréments de la rupture, ou encore s'investir d'un nouveau rôle au sein de la famille. Mais ce geste, s'il vous donne une certaine importance, crée un malaise chez l'autre parent qui n'est pas en mesure d'en faire autant.

Parfois l'agressivité des adultes rejaillit sur les enfants.
Après une rupture, les adultes doutent souvent d'eux-mêmes et de leur rôle de parents. Parfois, ils se sentent si perdus qu'ils demandent à leurs enfants quel parent ils préfèrent, jetant ainsi le trouble parmi eux. Si vous avez peur de trahir l'un en choisissant l'autre, mieux vaut rester honnête avec vous-même.

LES RÉACTIONS FACE AU DIVORCE

MÊME SI LE DIVORCE ET LA SÉPARATION SONT MIEUX ACCEPTÉS AUJOURD'HUI, CERTAINS Y SONT ENCORE FAROUCHEMENT OPPOSÉS.

Beaucoup se marient pour la vie. Leurs convictions religieuses ou culturelles ne leur permettent pas d'envisager le divorce.
Certains pensent que les gens mariés doivent rester ensemble, quels que soient les problèmes qu'ils rencontrent. D'autres ne partagent pas cet avis ; ils ne comprennent pas, par exemple, pourquoi une personne maltraitée par son compagnon devrait supporter cette situation toute sa vie. D'autres, encore, tolèrent le divorce de couples sans enfants. Et pourtant, les malheureux enfants qui voient leurs parents se disputer sans cesse et ne plus rien éprouver l'un pour l'autre, se sentent souvent soulagés par une séparation. Chaque cas est particulier. C'est à la famille de décider au mieux des intérêts de chacun de ses membres.

Nombre de religions considèrent le divorce comme inacceptable. Toutes les cérémonies de mariage insistent sur le fait que l'homme et la femme s'unissent pour la vie, quel que soit l'engagement de chacun au sein du couple.

Les réactions face au divorce

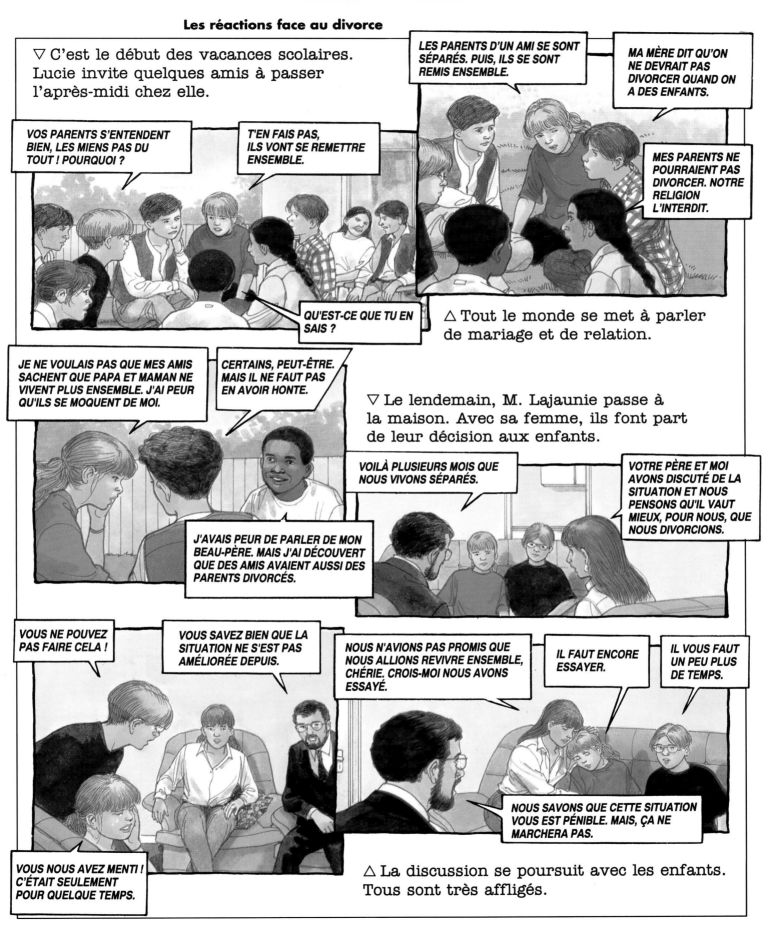

19

Les jeunes ont parfois honte de la séparation de leurs parents.
Comme Guillaume, beaucoup découvrent que leurs amis ont vécu la même expérience. Il est normal que le divorce de vos parents provoque chez vous toute une série d'émotions différentes. Pour mieux les comprendre, n'hésitez pas à en parler à vos amis et à écouter leur point de vue.

Delphine est certaine que ses parents vont reprendre la vie commune.
Quelques jeunes s'accrochent à cet espoir, en dépit du divorce ou même du remariage d'un ou de leurs deux parents. Refuser d'admettre la vérité, aussi dure et pénible soit-elle, ne vous aidera pas à affronter la réalité. Bien au contraire, vous n'en aurez que plus de chagrin.

Certaines personnes pensent qu'un couple qui a des enfants doit rester ensemble.
Le divorce ou la séparation perturbe profondément les jeunes. Mais, dans certains cas, vivre avec des parents que la cohabitation rend malheureux pose tout autant de problèmes. La plupart des couples réfléchissent à la répercussion que leur décision pourra avoir sur leurs enfants.

LA PROCÉDURE DE DIVORCE

LA SÉPARATION NE S'ACCOMPAGNE PAS NÉCESSAIREMENT D'UNE ACTION EN JUSTICE. EN REVANCHE, LE DIVORCE EST UNE PROCÉDURE JUDICIAIRE.

La législation en matière de divorce varie d'un pays à l'autre. Mais, dans la plupart des cas, il est accordé en fonction d'un certain nombre de critères.

Diverses raisons peuvent justifier la demande et l'obtention du divorce : la cruauté mentale ou les mauvais traitements infligés à l'un des conjoints, ou encore les relations sexuelles en dehors des liens du mariage. Le divorce est généralement accordé aux personnes qui vivent séparées depuis un certain temps. Dans la plupart des cas, les partenaires divorcent à l'amiable. Mais, il arrive que certains ne parviennent pas à se mettre d'accord sur les questions financières et leur rôle respectif dans l'éducation des enfants. Il leur faudra, alors, beaucoup de temps pour régler les détails, et le tribunal finit, généralement, par trancher. En vertu de la loi, un des conjoints peut être condamné à consacrer une partie de son salaire au soutien financier de l'autre ou de tout enfant issu de leur mariage.

Dans certains pays, la loi oblige les époux à consulter un assistant social chargé d'apprécier s'ils ont bien réfléchi à la situation et s'ils pensent vraiment que le divorce est la meilleure solution pour leur couple.

▽ Pénélope et Nordine passent à la maison.
M. et Mme Lajaunie sont chez leur avocat conseil.

POURQUOI UN AVOCAT ?

LE DIVORCE EST UNE PROCÉDURE JUDICIAIRE. ILS ONT BESOIN D'AIDE POUR RÉGLER LES DÉTAILS.

QUEL GENRE DE DÉTAIL ?

COMME PAPA ET MAMAN SONT PROPRIÉTAIRES DE LA MAISON ET QU'ILS NE SERONT PLUS MARIÉS, ILS DOIVENT DÉCIDER DU PARTAGE DE LEURS BIENS.

ILS DOIVENT S'ASSURER QUE VOTRE PÈRE DONNE ASSEZ D'ARGENT À VOTRE MÈRE POUR POUVOIR VOUS NOURRIR.

▷ Ils expliquent les décisions que les parents seront amenés à prendre.

PAPA A DIT QU'IL EST PLUS FACILE QUE NOUS VIVIONS ICI, MAIS ILS N'ONT JAMAIS DEMANDÉ NOTRE AVIS.

ON NOUS TIENT À L'ÉCART DE TOUT. CE N'EST QU'APRÈS COUP QU'ON ENTEND PARLER DE CES DÉCISIONS. C'EST VRAIMENT INJUSTE.

LES PARENTS D'UNE AMIE ONT DIVORCÉ LORSQU'ELLE AVAIT VOTRE ÂGE. C'ÉTAIT HORRIBLE. ILS SE DISPUTAIENT POUR TOUT. ILS ONT DÛ VENDRE LEUR MAISON. ILS N'ONT MÊME PAS PU SE METTRE D'ACCORD SUR LA GARDE DES ENFANTS. CE SONT LES TRIBUNAUX QUI ONT TRANCHÉ.

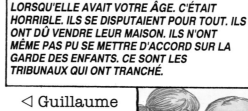

◁ Guillaume dit que la situation est différente pour Pénélope, puisqu'elle vit ailleurs.

△ Pénélope dit que le divorce peut durer longtemps.

J'AIMERAIS QUE LES PARENTS NOUS EXPLIQUENT CE QUI SE PASSE.

C'EST DUR. ÇA L'EST POUR MOI AUSSI.

LES GENS SONT PARFOIS TELLEMENT PRIS PAR LES ÉVÉNEMENTS QU'ILS OUBLIENT D'AUTRES CHOSES TOUT AUSSI IMPORTANTES. SOYEZ PATIENTS.

N'OUBLIE PAS QU'ILS ONT UN TAS DE CHOSES À RÉGLER, DELPHINE.

IL VA FALLOIR S'HABITUER À BEAUCOUP DE CHOSES.

Lorsqu'un couple est marié ou vit ensemble, pratiquement tout ce qu'ils possèdent leur appartient à tous les deux.
En cas de divorce, ils doivent prendre des dispositions pour partager équitablement leurs biens. En général, cela se passe sans heurts, mais ce n'est pas toujours le cas. Les parents sont parfois tellement pris par cet aspect du divorce qu'ils ne pensent même pas à la peine qu'ils font à leurs enfants.

Après le divorce, les enfants sont le plus souvent confiés à la garde d'un des parents.
Généralement, il est choisi par la famille. Mais si les parents ne réussissent pas à se mettre d'accord, c'est le tribunal qui tranche. Plus que tout autre chose, c'est le bien-être des enfants qui est pris en considération, même si la décision finale ne correspond pas à ce que vous auriez voulu. Il n'est jamais facile d'accepter un état de choses, surtout si l'on ne semble pas tenir compte de vos sentiments.

Comme M. et Mme Lajaunie, les couples consultent un ou deux avocats.
Les négociations sont particulièrement difficiles lorsque les termes du divorce sont contestés par un des époux. Le divorce est finalement prononcé devant un tribunal. Les avocats et le juge peuvent aider les parties à trouver un accord et à comprendre l'impact que leur décision aura sur leur avenir et sur celui de leurs enfants.

LES EFFETS DU DIVORCE ET DE LA SÉPARATION

UNE SÉPARATION OU UN DIVORCE PROVOQUE UN BOULEVERSEMENT ÉMOTIONNEL AU SEIN DE LA FAMILLE.

Il faut du temps avant d'accepter le caractère définitif de la séparation.
Même si leurs réactions varient en fonction de leur âge, la plupart des jeunes éprouvent des sentiments assez caractéristiques. Certains deviennent agressifs, ils veulent rendre quelqu'un responsable de la situation. Ou encore ils refusent d'accepter le divorce ou la séparation dans l'espoir que tout redevienne comme avant. Parfois, ils se sentent coupables, parce qu'ils sont persuadés qu'ils auraient pu changer le cours des choses. Mais souvent, ils constatent leur impuissance à contrôler les événements. Tous ces changements peuvent modifier leur confiance en eux, ainsi que leur comportement. Certains enfants refusent, par exemple, d'aller à l'école ou piquent des colères. Les plus jeunes sont souvent angoissés ou, alors, tentent d'accaparer l'attention des adultes. Les plus âgés, eux, adoptent une attitude réservée ou franchement belliqueuse. Toutes ces réactions sont fréquentes dans un contexte déconcertant et difficile à vivre.

Les jeunes peuvent se sentir encore plus seuls, en voyant que leurs cadets ne comprennent pas ce qui est en train de se passer.

▽ Quelques semaines plus tard, Pénélope et Nordine apportent une bonne nouvelle.

DOMMAGE QUE PAPA NE SOIT PAS LÀ ! NOUS AVONS DÉCIDÉ DE NOUS MARIER.

QUELLE MERVEILLEUSE NOUVELLE, MA CHÉRIE ! JE SUIS SI HEUREUSE POUR VOUS DEUX.

▽ Le lendemain soir, au cours d'une sortie avec Lucie, Guillaume lui parle de Pénélope et de Nordine.

À MON AVIS, CE SONT TES PARENTS QUI ONT RAISON. IL VAUT MIEUX NE PAS SE MARIER. ÇA ÉVITE PAS MAL D'HISTOIRES, SI LES CHOSES TOURNENT MAL.

NON. LA SITUATION SERAIT TOUT AUSSI PÉNIBLE POUR MOI, S'ILS DÉCIDAIENT DE SE SÉPARER.

MÊME SI CELA ARRIVAIT, CELA NE M'EMPÊCHERAIT PAS DE VIVRE OU DE ME MARIER AVEC QUELQU'UN.

▷ Lucie lui dit qu'il changera sûrement d'avis plus tard.

TU N'EN SAIS RIEN ! JE ME DEMANDE SI TOUT CELA EN VAUT LA PEINE.

▽ À l'école, l'institutrice a remarqué que Delphine a changé.

JE REFUSE DE FAIRE ÇA. CE TRAVAIL EST IDIOT.

TU NE TE CONCENTRES PAS, DELPHINE. QU'EST-CE QU'IL Y A ?

▽ Delphine sort de la classe en courant. Ce jour-là, l'institutrice demande à Mme Lajaunie de passer la voir après la classe.

DELPHINE EST UNE BONNE ÉLÈVE, MAIS DEPUIS QUELQUES SEMAINES, ELLE N'EST PLUS LA MÊME.

▽ Delphine et sa mère se parlent.

VOUS VOUS SÉPAREZ, MAIS MOI JE VOUS AIME TOUS LES DEUX. JE NE PEUX PAS CHOISIR ENTRE VOUS DEUX.

MON MARI ET MOI SOMMES EN INSTANCE DE DIVORCE. TOUT CECI LA PERTURBE BEAUCOUP. JE VAIS LUI PARLER.

DELPHINE, TU NE DOIS PAS AIMER L'UN DE NOUS PLUS QUE L'AUTRE. TON PÈRE ET MOI T'AIMONS TOUS LES DEUX TRÈS FORT.

La séparation de vos parents peut se traduire par un éloignement de ceux que vous aimez.

Vous pouvez être amené à déménager pour aller habiter chez l'un de vos parents, et vivre éloigné de vos amis. Certains adultes essaient d'empêcher leurs enfants de voir le parent absent. Si l'un des parents décide de ne pas voir ses enfants, ils peuvent trouver cela injuste et en souffrir. Mais, c'est aussi dur pour les parents si l'un de leurs enfants refuse de voir l'adulte dont il est séparé.

Contenir vos sentiments, ne les fera pas disparaître.

Il vous faudra du temps pour comprendre et maîtriser vos émotions. Et, même si vous ne savez plus très bien à qui les confier, faites-le, cela vous soulagera.

Sensibilisé par le divorce de ses parents, Guillaume remet en question le mariage.

Cette attitude est normale, mais souvenez-vous que chaque relation est différente des autres. Lucie sait que c'est à elle et à son futur compagnon de décider de leur avenir. Si vous vous laissez influencer par l'exemple de vos parents, vous ne pourrez jamais vous épanouir dans une véritable relation intime.

PRENDRE UN NOUVEAU DÉPART

LES JEUNES N'ONT PAS GRAND-CHOSE À DIRE DANS LA DÉCISION QUE PRENNENT LEURS PARENTS DE SE SÉPARER OU DE DIVORCER. POUR EUX, C'EST TOUT UN MONDE QUI S'ÉCROULE.

D'une certaine manière, c'est le début d'une nouvelle vie. Mais il est difficile de le reconnaître et, donc, de comprendre que certains changements sont inévitables.

Apprendre que le divorce est sans appel, ne signifie pas que vous soyez prêt à l'admettre. Les sentiments que suscitent une rupture sont comparables à ceux que connaissent les personnes endeuillées. Il faut un certain temps pour s'habituer à la situation. Vos parents, aussi, doivent apprendre à ne plus faire partie d'un couple, et à sortir seuls. Souvent, ils rencontrent un autre compagnon et désirent reformer une famille. Il vous faudra, alors, vous faire à l'idée d'une nouvelle situation familiale avec des enfants et peut-être des demi-frères et sœurs. Vous devrez aussi accepter, même si cela vous paraît injuste, que les visites à votre parent devront être préalablement convenues. Certains enfants culpabilisent parce que, malgré leur désir de voir leur père ou leur mère, le temps passé auprès de lui ou d'elle diminue d'autant celui qu'ils consacrent à leurs amis. Si vous connaissez ce genre de problème, confiez-vous à quelqu'un, cela vous aidera à le résoudre.

Comprenez que pour vos parents, aussi, la vie continue et qu'ils peuvent rencontrer de nouveaux compagnons.

▽ Quelques mois plus tard, après le divorce de M. et Mme Lajaunie, toute la famille est réunie pour le mariage de Pénélope et de Nordine.

▽ Puis, M. Lajaunie parle à ses enfants.

QUI EST-CE ?

C'EST NATHALIE, LA NOUVELLE AMIE DE PAPA. ÇA FAIT QUELQUES TEMPS QU'ILS SORTENT ENSEMBLE. NOUS L'AVONS PEU RENCONTRÉE.

N'OUBLIEZ PAS QUE JE VIENS VOUS PRENDRE SAMEDI À 10 HEURES. RÉFLÉCHISSEZ À CE QUE VOUS VOULEZ FAIRE DURANT CE WEEK-END.

ELLE EST BIEN, MAIS ELLE EN FAIT UN PEU TROP. ELLE VEUT QUE NOUS L'AIMIONS.

NATHALIE VIENDRA AVEC TOI ?

SI VOUS VOULEZ. OU BIEN CE SERA UN WEEK-END RIEN QU'À NOUS TROIS.

AMÈNE-LA SI TU VEUX. ELLE T'APPRENDRA À ARRIVER À L'HEURE.

▽ À la réception qui suit la cérémonie, Guillaume demande à sa mère si tout va bien.

ÇA VA MON CHÉRI, C'EST UN GRAND JOUR, AUJOURD'HUI. C'EST BIZARRE DE VOIR TON PÈRE ICI.

▽ Guillaume rejoint ses amis.

M'AN, ÇA VA ? J'AI VU QUE TU LUI PARLAIS.

ÇA LUI FAIT DRÔLE DE VOIR PAPA ET NATHALIE. SINON ÇA VA.

ÇA A L'AIR D'ALLER MIEUX ENTRE VOUS DEUX.

OUI, C'EST VRAI. JE VOUS L'AVAIS BIEN DIT !

ÇA ME FAIT ENCORE TOUT DRÔLE DE NE PLUS VOIR PAPA À LA MAISON.

VOUS AVEZ L'AIR DE MIEUX ACCEPTER LA SITUATION.

JE SAIS. MAIS M'AN ET LUI ONT L'AIR PLUS HEUREUX SÉPARÉS. ON VA S'Y HABITUER, VOILÀ TOUT.

Guillaume et Delphine voient leur père le week-end.
Si, vous aussi, vous voyez rarement votre père ou votre mère, cela ne doit pas, pour autant, rompre le dialogue qui existait entre vous. Le parent absent vous aime tout autant que celui avec qui vous vivez.

La séparation ou le divorce peut vous donner l'impression que désormais, votre vie ne sera plus jamais la même.
Toute rupture fait place à la douleur et au désarroi. Mais, en dépit des difficultés, vous vous adapterez très bien à la nouvelle situation. Bien que les choses ne soient plus pareilles, vous vous rendrez compte avec le temps que le changement peut être positif. Pour toute la famille, c'est la fin d'une tranche de vie et le début d'une autre.

Beaucoup de séparés nouent une nouvelle relation.
Certains décident de se remarier. Ce n'est pas évident d'accepter qu'une personne étrangère entre dans la vie d'un parent. Vous vous sentez trahi parce que vous croyez qu'elle essaie de prendre la place de votre autre parent. Mais, même si un de vos parents ne semble pas beaucoup plus heureux après la séparation, vous devez profiter de la vie.
Le temps finira par tout arranger. Des événements particuliers qui réunissent vos parents, comme un anniversaire, peuvent vous troubler. Mais, au lieu de vous sentir coupable de circonstances dont vous n'êtes absolument pas responsable, mieux vaut essayer d'en parler ouvertement à vos parents.

ET VOUS, QUE POUVEZ-VOUS FAIRE ?

APRÈS AVOIR LU CE LIVRE, VOUS COMPRENEZ SÛREMENT MIEUX CE QUE SONT LA SÉPARATION ET LE DIVORCE, AINSI QUE LEURS EFFETS SUR TOUTE LA FAMILLE.

La fin d'une relation est souvent une expérience douloureuse.
Si vous connaissez quelqu'un dont les parents se séparent, ou si c'est le cas de vos propres parents, essayez de comprendre le genre d'émotions que peuvent ressentir tous ceux qui vivent cette épreuve. Il est tout à fait normal que vous vous sentiez déprimé, agressif, désorienté ou que vous cherchiez à imputer la situation à quelqu'un en particulier. Mais, il faut que vous appreniez à affronter et à exprimer vos sentiments. Cela vous permettra de vous adapter, comme la plupart des gens, à la nouvelle situation.

Belgique :
Centre d'Aide à l'Enfance
58, avenue J. Malou
B-1040 Bruxelles
Tél. : 02/648.51.36

Centre des Nouvelles Parentalités
48, rue Crickx, Boîte 1
B-1060 Bruxelles
Tél. : 02/538.61.05

Centre pour Adolescents
167, avenue Albert
B-1060 Bruxelles
Tél. : 02/343.16.26

LES ADULTES PEUVENT VOUS AIDER À MIEUX VIVRE LA RUPTURE, EN VOUS TENANT AU COURANT DE CE QUI SE PASSE ET EN VOUS EXPLIQUANT LEUR DÉCISION LE PLUS HONNÊTEMENT POSSIBLE.

Fortement affectés par leur rupture, ceux qui se séparent ou divorcent ont tendance à oublier que leurs enfants, aussi, en souffrent.
Ce livre permet aux jeunes et aux adultes d'échanger leurs idées et expériences sur le sujet. Si vous désirez en savoir plus ou en parler à quelqu'un, n'hésitez pas à vous adresser aux organisations mentionnées ci-dessous. Elles vous aideront en vous donnant de précieux conseils.

Service d'Aide à la Jeunesse
37, rue du Congrès,
B - 1000 Bruxelles
Tél. : 02/217.71.58

SOS Enfants
Bld de la Constitution, 119
4000 LIÈGE
Tél. : (04) 341 10 99

France :
Association pour le couple et l'enfant
228, rue de Vaugirard,
75015 Paris
Tél. : 01 45 66 50 00

Enfance et Partage
10, rue Bluets,
75011 Paris
Tél. : 0 800 05 12 34

SOS Divorce Droits des enfants de vivre avec papa
221, rue du fbg St Honoré,
75008 Paris
Tél. : 01 45 63 11 13

Association Père Mère Enfant
35, rue des États Généraux,
78000 Versailles
Tél. : 01 30 21 75 55

Suisse :
L'Hospice général
12, cours de Rive,
1204 Genève
Tél. : 022 787 52-15

Québec :
Commission des droits de la personne et des droits de la jeunesse
360, rue Saint-Jacques,
Montréal (Québec)
H2Y 1P5
Tél. : 514-873-5146

INDEX

Origine des photographies
Pages 18 : Frank Spooner ; toutes les autres photos sont de Roger Vlitos.
Toutes les photos figurant dans ce livre ont été réalisées avec des modèles.